Three week loan

Please return on or before the last
date stamped below.
Charges are made for late return.

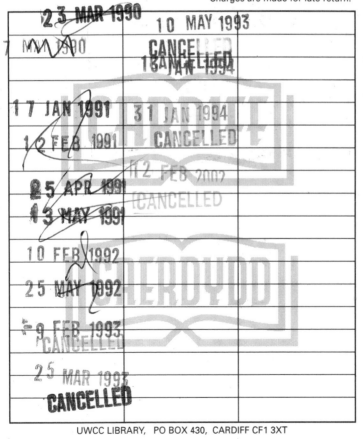

23 MAR 1990	10 MAY 1993	
17 MAY 1990	CANCELLED 18 JAN 1994	
17 JAN 1991	31 JAN 1994	
12 FEB 1991	CANCELLED	
25 APR 1991	12 FEB 2002 CANCELLED	
13 MAY 1991		
10 FEB 1992		
25 MAY 1992		
9 FEB 1993 CANCELLED		
25 MAR 1993 CANCELLED		

l'homme
atlantique

MARGUERITE DURAS

l'homme
atlantique

LES ÉDITIONS DE MINUIT

© 1982 by LES ÉDITIONS DE MINUIT
7, rue Bernard-Palissy — 75006 Paris

ISBN 2-7073-0611-8

Vous ne regarderez pas la caméra. Sauf lorsqu'on l'exigera de vous.

Vous oublierez.
Vous oublierez.

Que c'est vous, vous l'oublierez.
Je crois qu'il est possible d'y arriver.
Vous oublierez aussi que c'est la caméra. Mais surtout vous oublierez que c'est vous. Vous.

7

Oui, je crois qu'il est possible d'y arriver, par exemple à partir d'autres approches, de celle entre autres de la mort, de votre mort perdue dans une mort régnante et sans nom.

Vous regarderez ce que vous voyez. Mais vous le regarderez absolument. Vous essaierez de regarder jusqu'à l'extinction de votre regard, jusqu'à son propre aveuglement et à travers celui-ci vous devrez essayer encore de regarder. Jusqu'à la fin.

Vous me demandez : Regarder quoi ?
Je dis, eh bien, je dis la mer, oui, ce mot, devant vous, ces

murs devant la mer, ces dispari-
tions successives, ce chien, ce
littoral, cet oiseau sous le vent
atlantique.

Ecoutez. Je crois aussi que si
vous ne regardiez pas ce qui se
présente à vous, cela se verrait à
l'écran. Et que l'écran se viderait.

Ce que vous serez en train de
voir là, la mer, les vitres, le mur,
la mer derrière les vitres, les vitres
dans les murs, vous ne l'aurez
jamais vu, jamais regardé.

Vous penserez que ceci qui va
se passer n'est pas une répétition,
que ceci est inaugural comme
l'est d'elle-même votre propre vie
à chaque seconde de son déroule-

ment. Que dans le déferlement milliardaire des hommes autour de vous, vous êtes le seul à tenir lieu de vous-même auprès de moi dans ce moment-là du film qui se fait.

Vous penserez que c'est moi qui vous ai choisi. Moi. Vous. Vous qui êtes à chaque instant le tout de vous-même auprès de moi, cela, quoi que vous fassiez, si loin ou si près que vous soyez de mon espérance.

Vous penserez à vous, mais comme à ce mur, à cette mer qui ne s'est jamais produite encore, à ce vent et à cette mouette qui sont séparés pour la première fois, à ce chien perdu.

10

Vous penserez que le miracle n'est pas dans l'apparente similitude entre chaque particule de ces milliards du déferlement continu, mais dans la différence irréductible qui les sépare, qui sépare les hommes des chiens, les chiens du cinéma, le sable de la mer, Dieu de ce chien ou de cette mouette tenace face au vent, du cristal liquide de vos yeux de celui blessant des sables, de la touffeur irrespirable du hall de cet hôtel passé de l'éblouissante clarté égale de la plage, de chaque mot de chaque phrase, de chaque ligne de chaque livre, de chaque jour et de chaque siècle et de chaque éternité passée ou à venir et de vous et de moi.

11

Durant votre passage, il vous faudra donc croire à votre inaliénable royauté.

Vous avancerez. Vous marcherez comme vous le faites quand vous êtes seul et que vous croyez que quelqu'un vous regarde, Dieu ou moi, ou ce chien le long de la mer, ou cette mouette tragique face au vent, si seule devant l'objet atlantique.

Je voulais vous dire : le cinéma croit pouvoir consigner ce que vous faites en ce moment. Mais vous, de là où vous serez, où que ce soit, que vous ayez partie liée avec le sable, ou le vent, ou la mer, ou le mur, ou l'oiseau, ou le

12

chien, vous vous rendrez compte
que le cinéma ne peut pas.

Passez outre. Laissez.
Avancez.

Vous verrez, tout viendra à
partir de votre déplacement le
long de la mer, après les piliers
du hall, du déplacement de votre
corps dont vous aurez pensé
jusqu'à cet instant-ci qu'il était
naturel.

Vous tournerez vers la droite et
vous longerez les vitres et la mer,
la mer derrière les vitres, les vitres
dans les murs, la mouette, et le
vent, et le chien.

Vous l'avez fait.

Vous êtes le long de la mer, vous êtes le long de ces choses scellées entre elles par votre regard.

La mer est à votre gauche en ce moment. Vous entendez sa rumeur mêlée à celle du vent.
Dans de longues portées elle avance vers vous, vers les collines de la côte.

Vous et la mer, vous ne faites qu'un pour moi, qu'un seul objet, celui de mon rôle dans cette aventure. Je la regarde moi aussi. Vous devez la regarder comme moi, comme moi je la regarde, de toutes mes forces, à votre place.

14

Vous êtes sorti du champ de la caméra.

Vous êtes absent.

Avec votre départ votre absence est survenue, elle a été photographiée comme tout à l'heure votre présence.

Votre vie s'est éloignée.

Votre seule absence reste, elle est sans épaisseur aucune désormais, sans possibilité aucune de s'y frayer une voie, d'y succomber de désir.

Vous n'êtes plus nulle part précisément.

Vous n'êtes plus préféré.

Plus rien de vous n'est là que cette absence flottante, ambulante, qui remplit l'écran, qui peuple à elle seule, pourquoi pas, une plaine du Far West, ou cet hôtel désaffecté, ou ces sables.

Rien n'arrive plus que cette absence noyée dans le regret et qui sera à ce point sans descendance qu'on pourra en pleurer.
Ne vous laissez pas envahir par ces pleurs, par cette peine.

Non.

Continuez à oublier, à ignorer et le devenir de tout ceci et celui de vous-même.

16

Hier soir, après votre départ définitif, je suis allée dans cette salle du rez-de-chaussée qui donne sur le parc, là où je me tiens toujours dans le mois tragique de juin, ce mois qui ouvre l'hiver.

J'avais balayé la maison, j'avais tout nettoyé comme avant mes funérailles. Tout était net de vie, exempt, vidé de signes, et puis je me suis dit : je vais commencer à écrire pour me guérir du mensonge d'un amour finissant. J'avais lavé mes affaires, quatre choses, tout était propre, mon corps, mes cheveux, mes vêtements et ce qui enfermait le tout

17

aussi, le corps et les vêtements, ces chambres, cette maison, ce parc.

Et puis j'ai commencé à écrire.

Tout étant prêt pour ma mort, j'ai commencé à écrire ce dont justement je sais qu'il vous serait impossible de pressentir la raison, d'apercevoir le devenir. C'est ainsi que cela se passe. C'est à votre incompréhension que je m'adresse toujours. Sans cela, vous voyez, ce ne serait pas la peine.

Mais peu m'importait tout à coup cette impossibilité de votre part, je vous la laissais, je n'en gardais rien, je vous la donnais, mon souhait étant que vous l'emportiez, que vous l'emportiez avec vous, que vous l'incorporiez à votre sommeil, au rêve décomposé de ce dont on vous a appris qu'il était le bonheur — par là j'entends la putréfaction de l'entente du bonheur des amants.

Et puis le jour est revenu comme d'habitude, en larmes, et prêt pour la comédie. Et encore une fois la comédie s'est proposée.

Et au contraire de mourir je suis allée sur cette terrasse dans le parc et sans émotion j'ai dit à voix haute la date du jour qu'il était, le lundi quinze juin 1981, que vous étiez parti dans la chaleur terrible pour toujours et que

je croyais, oui, cette fois, que
c'était pour toujours.

Je crois que je ne souffrais pas
de votre départ. Tout était là
comme d'habitude, les arbres, les
roses, l'ombre tournante de la
maison sur la terrasse, l'heure et
la date, et vous cependant vous
étiez absent. Je ne croyais pas
qu'il vous fallait revenir. Autour
du parc des tourterelles sur des
toits criaient pour être rejointes.
Et puis il a été sept heures du
soir.

Je me suis dit que je vous
aurais aimé. Je croyais qu'il ne
me restait déjà de vous qu'un
souvenir hésitant, mais non, je
me trompais, il restait ces plages

20

autour des yeux, là où embrasser comme là s'étendre sur le sable tiède, et ce regard centré sur la mort.

C'est alors que je me suis dit pourquoi pas. Pourquoi pas faire un film. Ecrire serait trop doré- navant. Pourquoi pas un film.

Et puis le soleil s'est levé. Un oiseau a traversé la terrasse le long du mur de la maison. Il croyait la maison vide et il est allé si près d'elle qu'il a heurté une rose, une de celle que j'appelle de Versailles. Ça a été brutalement un mouvement, le seul du parc sous le niveau de la lumière du ciel. J'ai entendu le froissement de la rose par l'oiseau dans le velours de son vol. Et j'ai regardé la rose. Elle a d'abord bougé comme animée de vie et puis petit à petit elle est redevenue rose ordinaire.

Vous êtes resté dans l'état d'être parti. Et j'ai fait un film de votre absence.

Vous allez repasser de nouveau devant la caméra. Cette fois vous allez la regarder.

Regardez la caméra.

La caméra va maintenant capter votre réapparition dans la

glace parallèle à celle dans laquelle elle se voit.

Ne bougez pas. Attendez. Ne soyez pas surpris. Je vais vous dire ceci : vous allez réapparaître dans l'image. Non, je ne vous avais pas prévenu. Oui, ça va recommencer.

Déjà vous avez derrière vous un passé, un plan.
Déjà vous avez vieilli.

Déjà vous êtes en danger. Le plus grand danger que vous encourez maintenant c'est de vous ressembler, de ressembler à celui du premier plan tourné il y a une heure.

Oubliez encore.
Oubliez encore davantage.

Vous allez regarder tous les spectateurs dans la salle, un par un et chacun pour soi.

Rappelez-vous bien ceci : la salle, elle est à elle seule le monde entier de même que vous, vous l'êtes, vous, à vous seul. N'oubliez jamais.

N'ayez pas peur.

Personne, personne d'autre au monde que vous ne pourra faire ce que vous allez faire maintenant : passer ici pour la deuxième fois aujourd'hui, par moi seule ordonné, devant Dieu.

Ne cherchez pas à comprendre

ce phénomène photographique, la
vie.

Cette fois-ci, vous allez mourir
à votre propre vue.

Vous regarderez l'appareil
comme vous regardiez la mer,
comme vous regardiez la mer et
les vitres et le chien et l'oiseau
tragique dans le vent et les sables
d'acier face aux vagues.

Au bout du voyage, c'est la
caméra qui aura décidé de ce que
vous aurez regardé. Regardez. La
caméra ne mentira pas. Mais
regardez-la comme un objet de
prédilection désigné par vous,
attendu par vous depuis toujours,
comme si vous aviez décidé de lui

25

tenir tête, d'engager avec elle une lutte entre la vie et la mort.

Faites comme si vous aviez compris à ce moment-là, lorsque vous la teniez dans votre regard, que c'était elle, la caméra, qui la première avait voulu vous tuer.

Regardez autour de vous. A perte de vue vous reconnaîtrez ces étendues figées, ces vallées cimentées des guerres et de la joie, ces vallées du cinéma, elles se regardent, elles se font face.

Détournez-vous.
Passez.
Oubliez.
Eloignez-vous de ce détail, le cinéma.

26

Le film restera ainsi. Terminé. Vous êtes à la fois caché et présent. Présent seulement à travers le film, au-delà de ce film, et caché à tout savoir de vous, à tout savoir que l'on pourrait avoir de vous.

Tandis que je ne vous aime plus je n'aime plus rien, rien, que vous, encore.

Ce soir il pleut. Il pleut autour de la maison et sur la mer aussi. Le film restera ainsi, comme il est. Je n'ai plus d'images à lui donner. Je ne sais plus où nous sommes, dans quelle fin de quel amour, dans quel recommencement de quel autre amour, dans quelle histoire nous nous sommes égarés. C'est pour ce film seulement que je sais. Pour le film seulement je sais, je sais qu'aucune image, plus une seule image ne pourrait le prolonger.

Le jour ne s'est pas levé de la journée et il n'y a pas le moindre souffle dans les hauteurs des forêts ou dans les champs, les vallées. On ne sait pas si c'est encore l'été ou la fin de l'été ou une saison menteuse, indécise, affreuse, sans nom.

Je ne vous aime plus comme le premier jour. Je ne vous aime plus.

Restent cependant autour de vos yeux, toujours, ces étendues qui entourent le regard et cette existence qui vous anime dans le sommeil.

Reste aussi cette exaltation qui me vient à ne pas savoir quoi faire de ça, de cette connaissance que j'ai de vos yeux, des immensités que vos yeux explorent, à ne pas savoir quoi en écrire, quoi en dire, et quoi montrer de leur insignifiance originelle. De cela je sais seulement ceci : que je n'ai plus rien à faire qu'à subir cette exaltation à propos de quelqu'un qui était là, quelqu'un qui ne savait pas qu'il vivait et dont moi je savais qu'il vivait,

de quelqu'un qui ne savait pas vivre, je vous disais, et

de moi qui le savais et qui
ne savais pas quoi faire de
ça, de cette connaissance
de la vie qu'il vivait, et qui
ne savais non plus quoi
faire de moi.

On dit que le plein été
s'annonce, c'est possible. Je ne
sais pas. Que les roses sont là
déjà, dans le fond du parc. Que
parfois elles ne sont vues par personne durant le temps de leur vie
et qu'elles se tiennent ainsi dans
leur parfum, écartelées, pendant
quelques jours et puis qu'elles
s'effondrent. Jamais vues par
cette femme seule qui oublie.
Jamais vues par moi, elles meu-
rent.

Je suis dans un amour entre vivre et mourir. C'est à travers ce défaut de votre sentiment que je retrouve votre qualité, celle justement de me plaire. Je crois être seulement attachée à ce que la vie ne vous quitte pas, pas autrement, le déroulement de celle-ci me laisse indifférente, elle ne peut rien m'apprendre sur vous, elle ne peut que me rendre la mort plus proche, plus admissible, oui, souhaitable. C'est ainsi que vous vous tenez face à moi, dans la douceur, dans une provocation constante, innocente, impénétrable.

Vous l'ignorez.

CET OUVRAGE A ÉTÉ ACHEVÉ D'IM-
PRIMER LE VINGT-CINQ NOVEMBRE
MIL NEUF CENT QUATRE-VINGT-
CINQ SUR LES PRESSES DE JUGAIN
IMPRIMEUR S.A., A ALENÇON ET
INSCRIT DANS LES REGISTRES DE
L'ÉDITEUR SOUS LE NUMÉRO 2093

Dépôt légal : Novembre 1985